개역개정판/

series 2

사랑 안에서 자라감

THE NAVIGATORS

1. 사랑으로 말함

1) 진실을 말함	엡 4:15	골 3:9
2) 험담을 피함	잠 17:9	잠 11:13
3) 은혜스럽게 말함	골 4:4-6	잠 15:1
4) 죄를 시인함	약 5:16	마 5:23-24
5) 경청함	약 1:19	잠 18:13
6) 책망을 받아들임	잠 9:8-9	마 18:15

2. 사랑으로 대함

1) 다른 사람을 용서함	엡 4:32	골 3:13
2) 오래 참음	엡 4:2	딤후 2:24-25
3) 분노를 다스림	엡 4:26	골 3:8
4) 악의를 버림	히 12:15	엡 4:31
5) 억울한 일을 참음	벧전 2:20-21	롬 12:19
6) 시기심을 버림	잠 27:4	약 3:16

진실을 말함

에베소서 4:15

오직 사랑 안에서 참된 것을 하여 범사에 그에게까지 자랄지라. 그는 머리니 곧 그리스도라.

에베소서 4:15

1 사랑으로 말함

Tell the Truth

Ephesians 4:15
Instead, speaking the truth in love, we will in all things grow up into Him who is the Head, that is, Christ.

Ephesians 4:15

1 Love in Speech

진실을 말함

골로새서 3:9
너희가 서로 거짓말을 하지 말라. 옛 사람과 그 행위를 벗어버리고

골로새서 3:9

2 사랑으로 말함

Tell the Truth

Colossians 3:9
Do not lie to each other, since you have taken off your old self with its practices.

Colossians 3:9

험담을 피함

잠언 17:9
허물을 덮어 주는 자는 사랑을 구하는 자요 그것을 거듭 말하는 자는 친한 벗을 이간하는 자니라.

잠언 17:9

Avoid Gossip

Proverbs 17:9

He who covers over an offense promotes love, but whoever repeats the matter separates close friends.

Proverbs 17:9

험담을 피함

잠언 11:13

두루 다니며 한담하는 자는 남의 비밀을 누설하나 마음이 신실한 자는 그런 것을 숨기느니라.

잠언 11:13

Avoid Gossip

Proverbs 11:13

A gossip betrays a confidence, but a trustworthy man keeps a secret.

Proverbs 11:13

은혜스럽게 말함

골로새서 4:4-6
그리하면 내가 마땅히 할 말로써 이 비밀을 나타내리라. 외인에게 대해서는 지혜로 행하여 세월을 아끼라. 너희 말을 항상 은혜 가운데서 소금으로 맛을 냄과 같이 하라. 그리하면 각 사람에게 마땅히 대답할 것을 알리라.

골로새서 4:4-6

Speak Graciously

Colossians 4:4-6

Pray that I may proclaim it clearly, as I should. Be wise in the way you act toward outsiders; make the most of every opportunity. Let your conversation be always full of grace, seasoned with salt, so that you may know how to answer everyone.

Colossians 4:4-6

은혜스럽게 말함

잠언 15:1
유순한 대답은 분노를 쉬게 하여도 과격한 말은 노를 격동하느니라.

잠언 15:1

Speak Graciously

Proverbs 15:1

A gentle answer turns away wrath, but a harsh word stirs up anger.

Proverbs 15:1

죄를 시인함

야고보서 5:16
그러므로 너희 죄를 서로 고백하며 병이 낫기를 위하여 서로 기도하라. 의인의 간구는 역사하는 힘이 큼이니라.

야고보서 5:16

Admit Sin

James 5:16

Therefore confess your sins to each other and pray for each other so that you may be healed. The prayer of a righteous man is powerful and effective.

James 5:16

죄를 시인함

마태복음 5:23-24

그러므로 예물을 제단에 드리려다가 거기서 네 형제에게 원망 들을 만한 일이 있는 것이 생각나거든 예물을 제단 앞에 두고 먼저 가서 형제와 화목하고 그 후에 와서 예물을 드리라.

마태복음 5:23-24

Admit Sin

Matthew 5:23-24

Therefore, if you are offering your gift at the altar and there remember that your brother has something against you, leave your gift there in front of the altar. First go and be reconciled to your brother; then come and offer your gift.

Matthew 5:23-24

경청함

야고보서 1:19

내 사랑하는 형제들아 너희가 알지니 사람마다 듣기는 속히 하고 말하기는 더디 하며 성내기도 더디 하라.

야고보서 1:19

Listen

James 1:19
My dear brothers, take note of this:
Everyone should be quick to listen, slow to speak and slow to become angry.

James 1:19

경청함

잠언 18:13
사연을 듣기 전에 대답하는 자는 미련하여 욕을 당하느니라.

잠언 18:13

Listen

Proverbs 18:13

He who answers before listening – that is his folly and his shame.

Proverbs 18:13

책망을 받아들임

잠언 9:8-9
거만한 자를 책망하지 말라. 그가 너를 미워할 까 두려우니라. 지혜 있는 자를 책망하라. 그가 너를 사랑하리라. 지혜 있는 자에게 교훈을 더하라 그가 더욱 지혜로워질 것이요, 의로운 사람을 가르치라 그의 학식이 더하리라.

잠언 9:8-9

Accept Reproof

Proverbs 9:8-9

Do not rebuke a mocker or he will hate you; rebuke a wise man and he will love you. Instruct a wise man and he will be wiser still; teach a righteous man and he will add to his learning.

Proverbs 9:8-9

책망을 받아들임

마태복음 18:15
네 형제가 죄를 범하거든 가서 너와 그 사람과 만 상대하여 권고하라. 만일 들으면 네가 네 형제를 얻은 것이요

마태복음 18:15

Accept Reproof

Matthew 18:15

If your brother sins against you, go and show him his fault, just between the two of you. If he listens to you, you have won your brother over.

Matthew 18:15

다른 사람을 용서함

에베소서 4:32
서로 친절하게 하며 불쌍히 여기며 서로 용서하기를 하나님이 그리스도 안에서 너희를 용서하심과 같이 하라.

에베소서 4:32

Forgive Others

Ephesians 4:32

Be kind and compassionate to one another, forgiving each other, just as in Christ God forgave you.

Ephesians 4:32

다른 사람을 용서함

골로새서 3:13
누가 누구에게 불만이 있거든 서로 용납하여 피차 용서하되 주께서 너희를 용서하신 것같이 너희도 그리하고

골로새서 3:13

Forgive Others

Colossians 3:13

Bear with each other and forgive whatever grievances you may have against one another. Forgive as the Lord forgave you.

Colossians 3:13

오래 참음

에베소서 4:2
모든 겸손과 온유로 하고 오래 참음으로 사랑 가운데서 서로 용납하고

에베소서 4:2

Be Patient

Ephesians 4:2
Be completely humble and gentle; be patient, bearing with one another in love.
Ephesians 4:2

오래 참음

디모데후서 2:24-25

주의 종은 마땅히 다투지 아니하고 모든 사람에 대하여 온유하며 가르치기를 잘하며 참으며 거역하는 자를 온유함으로 훈계할지니 혹 하나님이 그들에게 회개함을 주사 진리를 알게 하실까 하며

디모데후서 2:24-25

Be Patient

2 Timothy 2:24-25

And the Lord's servant must not quarrel; instead, he must be kind to everyone, able to teach, not resentful. Those who oppose him he must gently instruct, in the hope that God will grant them repentance leading them to a knowledge of the truth.

2 Timothy 2:24-25

분노를 다스림

에베소서 4:26
분을 내어도 죄를 짓지 말며 해가 지도록 분을
품지 말고

에베소서 4:26

Control Anger

Ephesians 4:26

"In your anger do not sin": Do not let the sun go down while you are still angry.

Ephesians 4:26

분노를 다스림

골로새서 3:8
이제는 너희가 이 모든 것을 벗어 버리라. 곧 분함과 노여움과 악의와 비방과 너희 입의 부끄러운 말이라.

골로새서 3:8

Control Anger

Colossians 3:8
But now you must rid yourselves of all such things as these: anger, rage, malice, slander, and filthy language from your lips.
Colossians 3:8

악의를 버림

히브리서 12:15
너희는 하나님의 은혜에 이르지 못하는 자가 없
도록 하고 또 쓴 뿌리가 나서 괴롭게 하여 많은
사람이 이로 말미암아 더럽게 되지 않게 하며
히브리서 12:15

Overcome Bitterness

Hebrews 12:15

See to it that no one misses the grace of God and that no bitter root grows up to cause trouble and defile many.

Hebrews 12:15

악의를 버림

에베소서 4:31
너희는 모든 악독과 노함과 분 냄과 떠드는 것
과 비방하는 것을 모든 악의와 함께 버리고
에베소서 4:31

Overcome Bitterness

Ephesians 4:31
Get rid of all bitterness, rage and anger, brawling and slander, along with every form of malice.

Ephesians 4:31

억울한 일을 참음

베드로전서 2:20-21

죄가 있어 매를 맞고 참으면 무슨 칭찬이 있으리요. 그러나 선을 행함으로 고난을 받고 참으면 이는 하나님 앞에 아름다우니라. 이를 위하여 너희가 부르심을 받았으니 그리스도도 너희를 위하여 고난을 받으사 너희에게 본을 끼쳐 그 자취를 따라오게 하려 하셨느니라.

베드로전서 2:20-21

21 사랑으로 대함

Endure Injustice

1 Peter 2:20-21

But how is it to your credit if you receive a beating for doing wrong and endure it? But if you suffer for doing good and you endure it, this is commendable before God. To this you were called, because Christ suffered for you, leaving you an example, that you should follow in His steps.

1 Peter 2:20-21

억울한 일을 참음

로마서 12:19
내 사랑하는 자들아 너희가 친히 원수를 갚지 말고 하나님의 진노하심에 맡기라. 기록되었으되 원수 갚는 것이 내게 있으니 내가 갚으리라고 주께서 말씀하시니라.

로마서 12:19

Endure Injustice

Romans 12:19

Do not take revenge, my friends, but leave room for God's wrath, for it is written: "It is Mine to avenge; I will repay," says the Lord.

Romans 12:19

시기심을 버림

잠언 27:4
분은 잔인하고 노는 창수 같거니와 투기 앞에야
누가 서리요.

잠언 27:4

Avoid Jealousy

Proverbs 27:4

Anger is cruel and fury overwhelming, but who can stand before jealousy?

Proverbs 27:4

시기심을 버림

야고보서 3:16
시기와 다툼이 있는 곳에는 혼란과 모든 악한 일이 있음이라.

야고보서 3:16

Avoid Jealousy

James 3:16
For where you have envy and selfish ambition, there you find disorder and every evil practice.

James 3:16

화목한 생활

로마서 15:5-6
이제 인내와 위로의 하나님이 너희로 그리스도
예수를 본받아 서로 뜻이 같게 하여 주사 한마
음과 한 입으로 하나님 곧 우리 주 예수 그리스
도의 아버지께 영광을 돌리게 하려 하노라.
로마서 15:5-6

Live in Harmony

Romans 15:5-6

May the God who gives endurance and encouragement give you a spirit of unity among yourselves as you follow Christ Jesus, so that with one heart and mouth you may glorify the God and Father of our Lord Jesus Christ.

Romans 15:5-6

화목한 생활

고린도전서 1:10

형제들아 내가 우리 주 예수 그리스도의 이름으로 너희를 권하노니 모두가 같은 말을 하고 너희 가운데 분쟁이 없이 같은 마음과 같은 뜻으로 온전히 합하라.

고린도전서 1:10

Live in Harmony

1 Corinthians 1:10

I appeal to you, brothers, in the name of our Lord Jesus Christ, that all of you agree with one another so that there may be no divisions among you and that you may be perfectly united in mind and thought.

1 Corinthians 1:10

다른 사람을 섬김

마태복음 20:26-27

너희 중에는 그렇지 않아야 하나니 너희 중에 누구든지 크고자 하는 자는 너희를 섬기는 자가 되고 너희 중에 누구든지 으뜸이 되고자 하는 자는 너희의 종이 되어야 하리라.

마태복음 20:26-27

Serve Others

Matthew 20:26-27

Not so with you. Instead, whoever wants to become great among you must be your servant, and whoever wants to be first must be your slave.

Matthew 20:26-27

다른 사람을 섬김

갈라디아서 5:13

형제들아 너희가 자유를 위하여 부르심을 입었으나 그러나 그 자유로 육체의 기회를 삼지 말고 오직 사랑으로 서로 종 노릇 하라.

갈라디아서 5:13

Serve Others

Galatians 5:13

You, my brothers, were called to be free. But do not use your freedom to indulge the sinful nature; rather, serve one another in love.

Galatians 5:13

남을 먼저 생각함

로마서 15:2
우리 각 사람이 이웃을 기쁘게 하되 선을 이루고 덕을 세우도록 할지니라.

로마서 15:2

Put Others First

Romans 15:2

Each of us should please his neighbor for his good, to build him up.

Romans 15:2

남을 먼저 생각함

빌립보서 2:3-4

아무 일에든지 다툼이나 허영으로 하지 말고 오직 겸손한 마음으로 각각 자기보다 남을 낫게 여기고 각각 자기 일을 돌볼 뿐더러 또한 각각 다른 사람들의 일을 돌보아 나의 기쁨을 충만하게 하라.

빌립보서 2:3-4

Put Others First

Philippians 2:3-4
Do nothing out of selfish ambition or vain conceit, but in humility consider others better than yourselves. Each of you should look not only to your own interests, but also to the interests of others.

Philippians 2:3-4

서로 격려함

데살로니가전서 5:11

그러므로 피차 권면하고 서로 덕을 세우기를 너희가 하는 것같이 하라.

데살로니가전서 5:11

Encourage One Another

1 Thessalonians 5:11

Therefore encourage one another and build each other up, just as in fact you are doing.

1 Thessalonians 5:11

서로 격려함

전도서 4:9-10

두 사람이 한 사람보다 나음은 그들이 수고함으로 좋은 상을 얻을 것임이라. 혹시 그들이 넘어지면 하나가 그 동무를 붙들어 일으키려니와 홀로 있어 넘어지고 붙들어 일으킬 자가 없는 자에게는 화가 있으리라.

전도서 4:9-10

Encourage One Another

Ecclesiastes 4:9-10

Two are better than one, because they have a good return for their work: If one falls down, his friend can help him up. But pity the man who falls and has no one to help him up!

Ecclesiastes 4:9-10

불쌍히 여김

마태복음 9:36
무리를 보시고 불쌍히 여기시니 이는 그들이 목
자 없는 양과 같이 고생하며 기진함이라.
마태복음 9:36

Be Compassionate

Matthew 9:36

When He saw the crowds, He had compassion on them, because they were harassed and helpless, like sheep without a shepherd.

Matthew 9:36

불쌍히 여김

로마서 12:15
즐거워하는 자들과 함께 즐거워하고 우는 자들과 함께 울라.

로마서 12:15

Be Compassionate

Romans 12:15

Rejoice with those who rejoice; mourn with those who mourn.

Romans 12:15

온유하게 대함

야고보서 3:17

오직 위로부터 난 지혜는 첫째 성결하고 다음에 화평하고 관용하고 양순하며 긍휼과 선한 열매가 가득하고 편견과 거짓이 없나니

야고보서 3:17

Be Gentle

James 3:17

But the wisdom that comes from heaven is first of all pure; then peace-loving, considerate, submissive, full of mercy and good fruit, impartial and sincere.

James 3:17

온유하게 대함

갈라디아서 6:1
형제들아 사람이 만일 무슨 범죄한 일이 드러나
거든 신령한 너희는 온유한 심령으로 그러한 자
를 바로잡고 너 자신을 살펴보아 너도 시험을
받을까 두려워하라.

갈라디아서 6:1

Be Gentle

Galatians 6:1

Brothers, if someone is caught in a sin, you who are spiritual should restore him gently. But watch yourself, or you also may be tempted.

Galatians 6:1

3. 사랑으로 행함

1) 화목한 생활	롬 15:5-6	고전 1:10
2) 다른 사람을 섬김	마 20:26-27	갈 5:13
3) 남을 먼저 생각함	롬 15:2	빌 2:3-4
4) 서로 격려함	살전 5:11	전 4:9-10
5) 불쌍히 여김	마 9:36	롬 12:15
6) 온유하게 대함	약 3:17	갈 6:1

NIV

series 2

Growing in Love

네비게이토 출판사
http://navpress.co.kr

Printed in Korea
값 2,500원

9 788937 503771